WERNER ZIMMERMANN

texte français de Christiane Duchesne

Les éditions Scholastic

À mes deux fils, Christopher et Tristan;
à la mémoire de leur mère; en souvenir de la
bonne vieille maison de la rue Glasgow.
— W.Z.

Les illustrations de ce livre ont été réalisées à
l'aquarelle sur des supports d'illustrations Arches.

La conception graphique de ce livre a été faite en QuarkXPress,
en caractère Garamond Book de 22 points.

Données de catalogage avant publication (Canada)

Zimmermann, H. Werner (Heinz Werner), 1951-
[Snow day. Français]
Pas d'école!

Traduction de: Snow day.
ISBN 0-590-51568-3

I. Duchesne, Christiane, 1949- . II. Titre. III. Titre: Snow day. Français.

PS8599.I463S6614 1999 jC813'.54 C99-930774-6
PZ23.Z55Pa 1999

Édition publiée par Les éditions Scholastic, 175, Hillmount Road, Markham (Ontario) L6C 1Z7.

6 5 4 3 2 Imprimé au Canada 2 3 4/0

Tôt ce matin, quelque chose nous a éveillés. C'était peut-être le silence...

Des milliers de flocons tombent doucement. Un épais tapis blanc recouvre tout.

Y en aura-t-il assez?
Fermera-t-on les écoles?
Patience, patience...

Au moment où
j'allais franchir la
porte, nous entendons
les mots magiques...

Pas d’école!

Je rejoins mes amis dehors. Nous nous laissons tomber dans la neige, nous faisons des anges, et du bout de la langue, nous attrapons les flocons.

Mupps nous imite.

Les voisins déneigent leurs voitures. Les grands vont nettoyer le trottoir pour les personnes âgées. Nous prenons nos pelles et les suivons.

Mais un long train qui essaie d'avancer dans la neige nous bloque le passage. Il n'abandonne pas, notre voisin non plus.

9798

Nous envoyons la main au conducteur du chasse-neige qui remonte la rue dans un vacarme d'enfer.

Mupps aboie, c'est tout.

Après le lunch, nous allons au parc pour jouer à «je t'attrape» et au hockey. Le vieil érable nous sert de but.

Mupps n'y comprend rien, il court après tout le monde.

Et après la rondelle!

Nous avons les doigts et les orteils gelés, nos vêtements sont détrempés, mais personne ne s’en soucie.

12

En rentrant à la maison, nous apercevons d'énormes blocs de neige. Impossible de les laisser là.

Ce serait tellement bien de...

... faire un fort!

Nous construisons même un toit. Nous y plaçons un drapeau et faisons un tunnel pour y entrer. C'est le plus beau fort jamais vu.

Mupps nous aide. Et aussi Mouse, notre chat.

Quand maman nous appelle, nous avons les joues en feu. Elle nous a préparé du chocolat chaud. Nous lui parlons de notre fort.

Quand nos vêtements sont secs, nous retournons dehors construire une glissade monstre.

Mouse nous surveille, en sécurité sur la clôture.

À l'heure du souper, nous arrivons
à peine à garder les yeux ouverts.
Dehors, la neige continue de tomber.

Avant de nous coucher, nous jetons un dernier coup d'œil aux millions de flocons qui tombent encore, en rêvant que demain on entendra de nouveau : Pas d'école!